カンタンなのにかわいい★
10分で
イベント
スイーツ

木村 遥 著

理論社

もくじ

秋
Autumn

焼きりんごのクランブル ……………………… 6

かぼちゃクリームのカップケーキ ………… 8

ハリネズミのスイートポテト ……………… 10

プチモンブラン ………………………………… 12

デコレーションドーナツ …………………… 14

ミイラチョコパイ ……………………………… 15

ピニャータケーキ ……………………………… 18

みかんのフレンチトースト ………………… 20

お月見白玉ぜんざい …………………………… 22

ハロウィンラスク ……………………………… 24

フルーツ生どら焼き …………………………… 26

キャラメルナッツクッキー ………………… 28

アメリカンクッキー…………………………… 29

かぼちゃのストライプチーズケーキ ……… 32

秋のドリンク

キャラメルラテ ……………………………………… 34
バナナのホットチェー（ベトナム風ぜんざい） ……… 34
ハロウィンゼリードリンク …………………………… 35
ハニーアップルソーダ ……………………………… 35

COLUMN 誰でもカンタン！スタイリングのコツ

ハロウィン仕様のパーティーセット ………… 36
ラッピングで楽しむ秋のお菓子 …………… 38

- 電子レンジ、オーブントースターの加熱時間は
  メーカーや機種によって異なりますので、様子を見て加減してください。
  また、加熱する際は付属の説明書に従って、
  高温に耐えられるガラスの器やボウルなどを使用してください。
- 液体を電子レンジで加熱する際、
  突然沸騰する（突沸現象）可能性がありますので、ご注意ください。
- はちみつは乳児ボツリヌス症にかかる恐れがありますので、
  1才未満の乳児には与えないでください。
- 🔥のあるところはヤケドしやすいので注意してください。

お菓子作りの道具を用意しよう

この本では、おもにこんな道具を使います。お菓子作りをはじめる前に、準備しましょう。

はかり
材料を分量どおりにはかるのはお菓子作りの基本。はかりは材料をのせて重さをはかる道具です。

計量スプーン
「大さじ1」「小さじ1」などの分量はこのスプーンではかります。「大さじ」は15㎖、「小さじ」は5㎖です。

計量カップ
1カップは200㎖。はかるときは、平らなところで目盛りの位置と同じ高さに目を合わせましょう。

包丁・キッチンバサミ
どちらも材料を切るのに使います。マシュマロを切るときなどはハサミの方がうまく切れます。

ボウル
電子レンジなどで加熱できる耐熱性がおすすめ。大きさの違うものがあると、湯せんや冷やすのに便利。

泡立て器
材料を混ぜたり、泡立てたりするのに使います。混ぜ加減に合わせてゴムベラと使い分けます。

ゴムベラ
大きめの材料をさっくり混ぜ合わせるときに使います。生地を残さずすくい取るのにも活躍します。

めん棒
材料をくだいたり伸ばしたりするのに使います。たたくときはポリ袋に入れると飛び散りません。

フードプロセッサー
材料をペースト状にしたり、ジュース作りに使います。刃で手を切らないように注意してください。

クッキングシート
材料の張りつき防止に使うシート。オーブンやトースターで材料を焼くときなどに下に敷いて使います。

なべ
材料を温めたり、ゆでたりするときに使います。つくる分量によってサイズを使い分けましょう。

フライパン
材料を焼くときに使います。よく熱してから材料を入れるときと、入れてから火をつけるときがあります。

絞り袋、口金
クリームなどを絞り出すときに使う袋。口金の種類を替えることで、形・模様をアレンジできます。

抜き型
ケーキやクッキーの生地に押し当てて抜きます。いろいろな種類のものがかたどれて、サイズも豊富です。

パウンドケーキ型
ケーキをオーブンで焼くための型ですが、ケーキ・アイスなどの形を整えるのにも使えます。

ドーナツ型
生地を流し込んでドーナツを焼くときに使う型です。サイズや形を変えるといろいろな種類を作れます。

この本で使うおもな市販品

市販品を使えば、難しそうなお菓子作りもとっても簡単！まずはこれを準備しよう♪

パイシート
焼くだけでパイを作ることができます。好きなサイズに切ったり、型で抜いたりと自由に扱える材料です。

ホットケーキミックス
小麦粉、砂糖、ふんわり仕上げるためのベーキングパウダーが配合されている、失敗知らずのすぐれもの。

クリームチーズ
牛乳とクリームで作ったチーズ。コクと塩気があり、さわやかな酸味で、いろいろなお菓子に使えます。

ホイップクリーム
生クリームに砂糖で甘みをつけて泡立ててあるクリーム。絞り袋に入っているので、時短になります。

練乳
砂糖をたっぷり溶かした濃縮牛乳です。材料に入れると、ミルキーな味わいと甘みが出せます。

はちみつ
やさしい甘さと独特の風味が特徴です。スポンジ生地などをしっとりさせる効果もあります。

クッキー、ビスケット
サクサクした食感とやさしい甘さがうれしい焼き菓子。形や味を変えて、アレンジを楽しんで！

バウムクーヘン
年輪のような模様のついた焼き菓子。小麦粉、バター、卵、砂糖が入っていて、扱いやすいのが特徴。

コーンフレーク
とうもろこしから作ったシリアル食品の一種です。ザクザクした食感や適度な甘みをプラスできます。

食パン
いろいろな料理に合う食パンはお菓子作りでも活躍。サンドイッチ用がなければ耳をカットすればOK。

白玉粉
白玉を作るときに使います。もち米が原料で、水を加えて加熱すると、なめらかでもちもちした食感に。

粒あん
原料となるあずきが粒のままのあんこです。こしあんより甘みが強めで、粒の食感を楽しめます。

フルーツ缶
いろいろな種類のフルーツをシロップ漬けにした缶詰。フルーツをむいたり切ったりせずに使えるので便利。

マシュマロ
メレンゲに砂糖やゼラチンなどを加えたお菓子です。加熱すると溶けるので材料同士をくっつけることも！

チョコペン
絵や模様、文字でお菓子をデコレーションできるチョコ。上手に書くコツは湯せんでやわらかくすること。

チョコスプレー
カラフルな色合いのミニチョコレートで、単色のものもあります。かわいいトッピングを手軽に追加できます。

焼きりんごの クランブル

とろけそうな熱々のりんごと
冷たいアイスは、最高のハーモニー

材料・2人分

- りんご（紅玉がおすすめ）…1個
- バター…20g
- 砂糖…大さじ2
- バニラアイス、グラノーラ…各適量

作りかた ⏰10

1
りんごはよく洗って2cm幅の輪切りにします。

↓

2
りんごの芯を抜き型などでくり抜きます。

↓

3
🔥 フライパンを中火にかけてバターを溶かし、りんごの両面を約5分焼きます。

↓

4
🔥 りんごがやわらかくなったら砂糖を加え、ひっくり返しながら煮詰めます。

↓

5
🔥 りんごの水分と砂糖がからんでトロッとしたら火を止めます。

↓

6
お皿にりんごを盛りつけてフライパンに残ったソースをかけ、バニラアイスを添えて、全体にグラノーラを散らします。

調理のPoint!

紅玉は甘酸っぱくて皮の色がきれいな、お菓子作りに向いたりんごの品種。他のお菓子作りにも使ってみよう！

かぼちゃクリームの
カップケーキ

かわいくデコレーションして
ハロウィンパーティーに!!

材料・4個分

チョコペン（ブラック、ホワイト）
　…各1本
スポンジケーキ
　…1台（2cmの厚さに切る）
冷凍かぼちゃ…200g
バター…30g
練乳…50g

作りかた

1

お湯につけて溶かしたチョコペンでクッキングシートにデコレーション用パーツを描き、冷蔵庫で冷やして固めます。

調理の Point!

スポンジケーキのかわりにカステラを使ったり、市販のカップケーキにクリームを絞ったりしてもOK。

2

スポンジケーキを抜き型、コップなどで丸く型抜きし、マフィンカップに入れます。

3

耐熱容器に冷凍かぼちゃを入れて電子レンジ（600W）で3分加熱して解凍し、粗熱が取れたら皮を取り除きます（皮なしで約150gが目安）。

4

フードプロセッサーに❸、バター、練乳を入れてなめらかになるまで撹拌します。

5

星形の口金をセットした絞り袋に❹を入れ、❷のカップケーキに絞り出します。

6

❶のデコレーション用パーツをトッピングします。

ハリネズミの スイートポテト

香ばしいアーモンドを"ハリ"にして、
かわいいスイートポテトにしちゃおう!

材料・3個分

- 焼きいも…200g
- 砂糖…大さじ2
- バター…20g
- 卵…1個
- アーモンドスライス…適量
- チョコペン(ブラック、ホワイト)…各1本

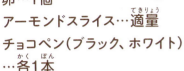

作りかた

⏰ 10

1

ボウルに皮をむいた焼きいもを入れ、電子レンジ(600W)で2分加熱してからフォークでつぶします。

2

砂糖、バターを加え、焼きいもの熱でバターを溶かしながら混ぜ合わせます。

3

溶いた卵大さじ2を加えてさらに混ぜます。残りの溶き卵はつや出し用に残しておきます。

4

❸を3等分してラップに包んで冷まし、ラグビーボール状に形を整え、鼻になる部分をとがらせます。

5

ラップを外してクッキングシートを敷いた天板にのせ、残りの溶き卵をはけなどで塗ります。

6

🔥 アーモンドスライスをさしてトゲを作り、トースターで5〜6分焼いて焼き色をつけ、お湯につけて溶かしたチョコペンで目を描きます。

調理のPoint!

焼き芋がない場合、濡れたキッチンペーパーや新聞紙でさつまいもを包み、電子レンジで8〜10分加熱してから作ってみてね。

プチモンブラン

むき甘栗とペーストを使えば
贅沢プチスイーツもカンタン！

材料・10個分

- マロンペースト…1缶(240g)
- 生クリーム…100ml
- ビスケット…10枚
- むき甘栗、巻きチョコレート、ココアパウダー…各適量

作りかた

1
ボウルにマロンペーストを入れ、なめらかになるまでゴムベラで練ります。

↓

2
生クリームを少しずつ加えながらゴムベラで混ぜていきます。

3
絞り袋に星形の口金をセットし、❷を入れます。

↓

4
ビスケットにクリームを絞りのせたら、むき甘栗、巻きチョコレートを飾り、ココアパウダーをふります。

調理のPoint!

マロンペーストはゴムベラでしっかり混ぜてね。台座をクッキーにしたりホワイトチョコレートを飾ったりして、見た目もアレンジしてみよう!

デコレーション ドーナツ

しっとり食感のドーナツを
かわいくデコしてハロウィンに配っちゃおう！

ミイラチョコパイ

怖かわいいミイラがころりん♪
パイとチョコ、最強の組み合わせ

デコレーションドーナツ

材料・6個分

卵…1個
牛乳…大さじ3
砂糖…大さじ2
ホットケーキミックス…100g
（ココア味なら
ココアパウダー大さじ1を追加）
バター…20g
板チョコレート…1枚
チョコペン、
　チョコスプレー…各適量

調理のPoint!

ココアドーナツにする場合、ホットケーキミックスにココアパウダーを混ぜてね。いろんなシリコンの型で作ってみてもいいかも！

作りかた ⏰10

1

ボウルで卵、牛乳、砂糖を混ぜ合わせ、ホットケーキミックスを加えてさらに混ぜます。

⬇

2

耐熱容器にバターを入れ、電子レンジ（600W）で約30秒加熱して溶かしておきます。

⬇

3

❶に❷を加えて全体になじむまで混ぜます。

4
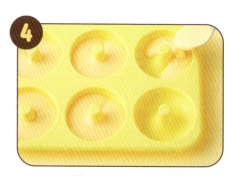
ドーナツ型に❸の生地を流し入れて電子レンジ（600W）で3分加熱。あら熱が取れたら型から取り出します。

⬇

5

耐熱ボウルに小さく割った板チョコレートを入れて電子レンジ（600W）で1分加熱し、混ぜて溶かしてからドーナツにつけます。

⬇

6

チョコペンやチョコスプレーでデコレーションします。

ミイラ
チョコパイ

材料・5個分
板チョコレート…1枚
パイシート(10×18cm)…1枚
卵…1個
チョコペン(ブラック、ホワイト)
…各1本

調理のPoint!
クッキングシートは燃えやすいのでバットからはみ出さないよう注意！❷、❸は手早くやらないとパイシートがだれます。やわらかくなりすぎたら冷蔵庫で冷やして。

作りかた

❶
チョコレートを5等分に割ります。

❷
パイシートは約5分室温に置き、やわらかくなり始めたらめん棒で1.5倍の大きさまで伸ばします。

❸
パイシートが縦10本になるよう包丁で切ります。

❹
チョコレート1個に❸2本を巻きつけます。

❺
天板にクッキングシートを敷いて❹をのせ、溶き卵をはけなどで塗り、焼き色がつくまでトースターで5～6分焼きます。

❻
お湯につけて溶かしたチョコペンで目を描きます。

17

ピニャータケーキ

メキシコでくす玉を意味する"ピニャータ"。
切るとカラフルなお菓子があふれ出す

材料・1台分

特大バウムクーヘン…1個
グミ、キャンディ…適量
板チョコレート…2枚
生クリーム…50mℓ
マシュマロ、チョコビスケット、チョコスプレー…各適量

調理のPoint!

特大バウムクーヘンがない場合、普通サイズのバウムクーヘンを2台重ねたり、スポンジケーキに穴を開けたりしてもOK。

作りかた ⏰10

1

バウムクーヘンの端を約1cmの薄切りにし、筒などを押し当てて丸く切り出します（フタになります）。

⬇

2

お皿にバウムクーヘンを置き、グミ、キャンディなどを中に詰めます。

⬇

3

❶をかぶせてフタをします。

4

耐熱ボウルに小さく割った板チョコレート、生クリームを入れ、電子レンジ（600W）で1分30秒加熱し、なめらかになるまで混ぜます。

⬇

5

❸のふちから垂れるように❹をかけます。

⬇

6

マシュマロ、チョコビスケットなどを飾ってチョコスプレーをかけます。

みかんの
フレンチトースト

さわやかな香りとほどよい酸味で、
華やかな味わいに

材料・2人分

- 卵…1個
- 牛乳…100ml
- 砂糖…大さじ1
- 食パン(6枚切り)…2枚
- みかん…2個
- バター…20g
- はちみつ…大さじ2

作りかた

10

1 ボウルで卵、牛乳、砂糖をよく混ぜ合わせます。

2 バットに食パンを敷いて❶をかけ、裏返しながら両面にしっかり染み込ませます。

3 みかんは皮をむいて3枚の輪切りにします。

4 フライパンを中火にかけ、バターを溶かして❷を焼き、両面に焼き色がついたら盛りつけます。

5 同じフライパンにみかんを入れて両面を焼き、はちみつを加えてからめ、トロッとしてきたら火を止めます。

6 ❹にみかんをのせ、フライパンに残ったソースをかければできあがり。

調理のPoint!

フライパンに残った、バターとみかんの果汁、はちみつで作ったソースがおいしい！いちごやバナナでも同じように仕上がります。

お月見白玉ぜんざい

秋のフルーツたっぷり。
ふわもち白玉の秘密はお豆腐♪

材料・2人分

お好みのフルーツ（柿、ぶどうなど）、
ゆであずき…各適量
白玉粉…60g
絹ごし豆腐（水気を切る）…100g
（半分を紫色にする場合は
絹ごし豆腐50g、
ブルーベリージャム大さじ2）

作りかた ⏰10

1

フルーツは食べやすい大きさに切ります。

2

白玉粉に水気を切った豆腐を加え、白玉粉の粒をつぶすようにこねます。半分を紫色にする場合、白玉粉30gに豆腐50g、ブルーベリージャム大さじ2を加えます。

3

全体がなめらかになってまとまったら、ひと口大に丸めて真ん中をへこませます。

4

🔥 なべにお湯を沸かして❸をゆでます。

5

🔥 白玉が浮き上がってきたらさらに1分ゆでて冷水に取ります。

6

水気を切って器に盛りつけ、ゆであずき、フルーツを添えます。

調理のPoint!

生地に豆腐を加えると冷めても固くなりにくく、食感もふわふわに。❸で真ん中をへこませるのは火を通りやすくする工夫！

ハロウィンラスク

シンプルな味わいのシュガーラスクも
ハロウィン仕様におめかし

材料・作りやすい分量

サンドイッチ用食パン…3枚
バター…10g
グラニュー糖…大さじ1
（ココア味なら
ココアパウダー小さじ1/2を追加）

調理のPoint!

100円ショップでいろいろな型を売っているから、好きな形を作ってみよう。おばけの目はストローで抜いて作れるよ。❺は焦がさないよう様子を見て焼き、加熱後は熱いのでやけどに注意！

作りかた ⏰8

❶

サンドイッチ用食パンをめん棒で平らに伸ばします。

❷

抜き型などでお好みの形に抜きます。

❸

耐熱皿にクッキングシートを敷いて❷を並べ、電子レンジ（600W）で1分加熱して水分を飛ばします。

❹

室温にもどしたバター、グラニュー糖を混ぜ合わせます。

❺

❸の片面に❹を塗ってクッキングシートを敷いた天板にのせ、トースターで3〜4分焼き、まわりにほんのり焼き色がついたらできあがり。

フルーツ生どら焼き

どら焼きでお好みの果実をサンド♡
緑茶でも紅茶でも

材料・6個分

- 卵…2個
- みりん、はちみつ…各大さじ1
- 水…大さじ2
- ホットケーキミックス…100g
- サラダ油…適量
- 粒あん、ホイップクリーム、お好みのフルーツ（バナナ、いちごなど）、栗の甘露煮…各適量

調理のPoint!

ホットプレートだときれいにたくさん焼けるので、パーティーにもおすすめ！みんなで焼いて、いろんな具材をはさんでみて！

作りかた

1

ボウルで卵、みりん、はちみつ、水をよく混ぜ合わせます。

2

ホットケーキミックスを加えてなめらかになるまで混ぜます。

3

フライパンにペーパータオルなどで薄く油をひき、中火で加熱します。

4

フライパンを濡れぶきんの上に置いて熱を取り、❷の生地を大さじ1ずつ丸く流し入れます。

5

❹のフライパンを弱火にかけ、表面がふつふつしてきたら裏返して両面を焼きます。同じようにして12枚分を作ります。

6

粒あん、ホイップクリーム、食べやすく切ったお好みのフルーツ、栗などをはさめばできあがり。

キャラメルナッツクッキー

アーモンドの香ばしさと
濃厚な甘さのキャラメルが見事にマッチ!

アメリカンクッキー

ビッグサイズのザクザク食感!
焼きたてでも冷めてもどちらもおいしい♡

キャラメル
ナッツクッキー

材料・8枚分

アーモンドスライス…50g
キャラメル…30g(6粒)
牛乳…小さじ1
クッキー…8枚

作りかた ⏰10

1

天板にクッキングシートを敷いてアーモンドスライスを並べ、トースターできつね色になるまで加熱します。

2

耐熱ボウルにキャラメル、牛乳を入れて電子レンジ(600W)で1分加熱し、なめらかになるまで混ぜます。

3

❶のアーモンドスライスを加えてさらに混ぜます。

4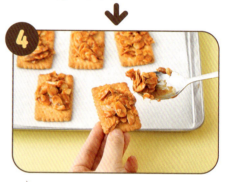

クッキーに❸をのせてトースターで2分焼きます。

調理のPoint!

きつね色にから焼きしたアーモンドがカリッと香ばしい！アーモンドスライスのかわりにミックスナッツを使ってもOK。

アメリカンクッキー

材料・4枚分

アーモンド…20g
コーンフレーク…50g
メープルシロップ…大さじ2
砂糖、薄力粉、
　　サラダ油…各大さじ1
お好みのチョコレート
　（マーブルチョコ、
　　チョコチップなど）…20g

作りかた ⏰10

1

ポリ袋にアーモンド、コーンフレークを入れてふきんなどで包み、めん棒で叩いて粗くくだきます。

2

ボウルにメープルシロップ、砂糖、薄力粉、サラダ油を入れ、泡立て器で混ぜます。

3

❶を加えて全体にまとまりが出るまでゴムベラで混ぜます。

4

お好みのチョコレートを加えてさっくり混ぜます。

5

🔥 クッキングシートを敷いた天板に❹をのせ、形を整えてトースターで5〜6分焼きます。

調理のPoint!

焼きたてはやわらかいけれど、冷めるとカリカリな食感に。冷ましてから食べてね。

かぼちゃのストライプ
チーズケーキ

クリームチーズとホワイトチョコの
クリーミーな味わいが口いっぱいに広がる

材料・18cmパウンド型1台分

冷凍かぼちゃ…160g
ホワイトチョコレート…1枚
クリームチーズ…200g
砂糖…大さじ2
クリームサンド
　チョコクッキー…12枚

作りかた

⏰ 8

❶ 耐熱容器に冷凍かぼちゃを入れて電子レンジ（600W）で2分30秒加熱して解凍し、皮を取り除いてフォークでつぶします（皮なしで約120gが目安）。

調理のPoint!

❶の加熱したかぼちゃは熱いのでヤケドに注意。できあがりは温めたナイフを使うときれいに切れるよ。

❷ 耐熱ボウルに小さく割ったホワイトチョコレートを入れ、電子レンジ（600W）で約40秒加熱してから混ぜて溶かします。

⬇

❸ 室温にもどしたクリームチーズ、砂糖を混ぜ合わせ、❷を加えてなめらかになるまで混ぜます。

⬇

❹ ❸に❶を加えて泡立て器でしっかり混ぜます。

❺ パウンド型にクッキングシートを敷いて❹の半量を流し入れ、クリームサンドチョコクッキーをさすように6枚並べます。

⬇

❻ 残りの❹を流し入れてクリームサンドチョコクッキー6枚をさし、冷蔵庫で約3時間冷やして完成です。

秋のドリンク
暑さの残る日中にも、肌寒くなった夜にも♪

キャラメルラテ
香ばしいキャラメルの香りと甘さにやみつき♪

バナナのホットチェー（ベトナム風ぜんざい）
ほんわかやさしい甘さで心もふんわり

材料・2人分
- 牛乳…300ml
- キャラメル…4粒
- インスタントコーヒー…大さじ1/2
- ホイップクリーム、アーモンドダイス…各適量

作りかた ⏰5
1. 耐熱容器に牛乳、キャラメルを入れて電子レンジ（600W）で3分加熱します。
2. カップにインスタントコーヒーを入れ、①を注いで混ぜます。
3. ホイップクリームを絞ってアーモンドダイスを散らします。

材料・2人分
- バナナ…1本
- 牛乳…200ml
- ゆであずき…大さじ4
- フルーツ缶…適量

作りかた ⏰5
1. バナナをフォークでつぶします。
2. 耐熱容器に牛乳を入れて電子レンジ（600W）で2分加熱します。
3. カップや深めの皿などに①、ゆであずき、フルーツ缶の具を入れて②を注ぎます。

ハロウィンゼリードリンク
長くて楽しいハロウィンの夜に

材料・2人分
オレンジゼリー…1個(60〜70g程度)
ぶどうジュース…200ml

作りかた ③
❶グラスにオレンジゼリーをスプーンですくい入れます。
❷ぶどうジュースを入れます。

ハニーアップルソーダ
りんごの甘酸っぱさが、はちみつで引き立つ

材料・2人分
りんご…1/2個　　砂糖…大さじ2
はちみつ…大さじ3　炭酸水…適量

作りかた ⑥
❶耐熱容器に1cm角に切ったりんご、はちみつ、砂糖を入れ、電子レンジ(600W)で3分加熱して冷まします。
❷グラスに①を入れ、炭酸水を注いでできあがり。

COLUMN
誰でもカンタン! スタイリングのコツ

ハロウィン仕様の
パーティーセット

遊び心たっぷりにおばけを飾りつけ♪
オヤツを用意したら、トリック オア トリート！

A シールを貼ってオリジナルのカップを作ってみましょう。ストローにもイニシャル入りのシールを貼れば使い分けも簡単です。

B ストローにコウモリの飾りをつけたケーキトッパーは手作りで楽しもう。かわいいデザインの市販品も多いので、好きなように飾ってもいいね。

C パンプキンやくもの巣のコースター、紙テープでテーブルをデコレーション。ココットのスタンドで高さをアップすれば、いつものお皿もパーティー仕様に！

D 市販のお菓子を包んで、かわいいモンスターに！目玉シールを貼るだけでハロウィンらしい雰囲気になります。

E お皿も重ねてパーティー仕様に。ハロウィンカラーを使うのも、おしゃれな組み合わせにするのも楽しいし、食べ物の取り分けにも便利♪

Ⓐ お気に入りのお菓子の空き缶は、油じみ防止のワックスペーパーを敷いてラスクやクッキーを詰め合わせたら、ハロウィンのクッキー缶に！

Ⓑ 封筒をカットしたバーガー袋、紙テープでとめて両端をひねったキャンディ包みなど、簡単に作れるラッピングにチャレンジ！

Ⓒ 紙コップのふちを1/3まで放射状に切り、折りたたんでシールでとめるとボックスに。何が入っているか開けるまでワクワクできます。

Ⓓ 半透明のワックスペーパーでお菓子を包み、目玉シールを貼るだけでモンスターに変身！いろいろなものを入れて楽しんじゃおう。

Ⓔ 紙皿に作ったスイーツや市販のお菓子をのせ、カトラリーもまとめてラッピング。お菓子の盛り合わせをプレゼントしよう。

ラッピングで楽しむ秋のお菓子

いろんな種類を詰め込んだクッキー缶やかわいい形を活かしたラッピング！

COLUMN
誰でもカンタン！
スタイリングのコツ

カンタンなのにかわいい★
10分でイベントスイーツ 秋

著者　木村 遥
フードコーディネーター/スタイリスト

書籍、雑誌、広告などで
フードコーディネート、
スタイリングなどを手がける。

料理研究家、スタイリストの
アシスタントを経て独立。
＋
お仕事の中では、
お菓子を作ったり
食べる時間の楽しさを
表現するのが特にすき。

アシスタント …………… 川端菜月
制作協力 ………………… 株式会社A.I
撮影 ……………………… 福井裕子
カバー・本文デザイン ….. 羽賀ゆかり

材料協力 ………………… 株式会社富澤商店
　　　　　　　　　　　　オンラインショップ https://tomiz.com/
　　　　　　　　　　　　電話番号：0570-001919

著　者　木村 遥

発行者　鈴木博喜
編　集　池田菜採
発行所　株式会社理論社
　　　　〒101-0062　東京都千代田区神田駿河台2-5
　　　　電話　営業03-6264-8890　編集03-6264-8891
　　　　URL　https://www.rironsha.com

2024年7月初版
2024年7月第1刷発行

印刷・製本　TOPPANクロレ　上製加工本

©2024 Haruka Kimura,Printed in Japan
ISBN978-4-652-20615-7 NDC596 A4変型判 27cm 39p

落丁・乱丁本は送料小社負担にてお取り替え致します。
本書の無断複製(コピー、スキャン、デジタル化等)は著作権法の例外を除き禁じられています。
私的利用を目的とする場合でも、代行業者等の第三者に依頼してスキャンやデジタル化することは認められておりません。

10分スイーツ 　全2巻 A4変型判 40ページ
各2800円(税別) C8377 NDC596

カンタンなのにかわいい★シリーズ
好評発売中

10分スイーツ 春・夏
978-4-652-20029-2

10分スイーツ 秋・冬
978-4-652-20030-8

15分でカフェごはん 　全4巻 A4変型判 40ページ
各2800円(税別) C8377 NDC596

15分でカフェごはん 春
978-4-652-20159-6

15分でカフェごはん 夏
978-4-652-20160-2

15分でカフェごはん 秋
978-4-652-20161-9

15分でカフェごはん 冬
978-4-652-20162-6

10分スイーツ&100円ラッピング 　全4巻 A4変型判 40ページ
各2800円(税別) C8377 NDC596

10分スイーツ&100円ラッピング 春
978-4-652-20317-0

10分スイーツ&100円ラッピング 夏
978-4-652-20318-7

10分スイーツ&100円ラッピング 秋
978-4-652-20319-4

10分スイーツ&100円ラッピング 冬
978-4-652-20320-0